СМУЗИ и СОКИ

— формула здоровья

WITHDRAWN

ЭКСМО
Москва

УДК 641/642
ББК 36.991
С 52

Дизайн серии и макет *Г. Булгаковой*

Фото *К. Филипповой*

Шеф-повар *А. Дыма*

С 52 **Смузи** и соки – формула здоровья. – М. : Эксмо, 2013. – 128 с. : ил.

ISBN 978-5-699-47298-7

Те, кто попробовал смузи хотя бы раз, вряд ли остались равнодушными. Красивые, насыщенные, радужные, полные витаминов густые коктейли не дадут даже думать о бутербродах с колбасой и картофеле фри.

Насладитесь и вы волшебным вкусом ярких смузи, которые принесут не только новые вкусовые ощущения, но и ощутимую пользу для здоровья.

УДК 641/642
ББК 36.991

ISBN 978-5-699-47298-7

Содержание

Просто фрукты

Смузи:
модно и полезно

Каждый знает, овощи и фрукты очень полезны, особенно в сезон, когда можно найти все, что только пожелаешь и на любой вкус и цвет. Но не каждый может похвастаться тем, что съедает в день необходимое количество свежих овощей, фруктов и ягод. Хорошим вариантом для преодоления «витаминодефицита» являются смузи.

Смузи (smoothie в переводе с английского означает «мягкий, нежный») — густой напиток из взбитых до однородной консистенции кусочков фруктов, ягод, овощей и свежевыжатых соков, дополненный специями, — пришел к нам с Запада совсем недавно. Появился он в США и стал одной из составляющих здорового образа жизни, так как является отличным средством для снижения веса, поддержания жизненного тонуса и дает необходимый заряд энергии.

Густой напиток быстро вошел в моду, и вот мы уже видим фото звезд Голливуда со стаканчиком смузи в руках. На Западе открывается все больше и больше смузи-баров, где вы можете заказать фруктовый напиток. А если теряетесь в выборе, то опытные бармены подскажут, какой микс выбрать, исходя из желаний: расслабиться, получить заряд бодрости и сил, настроиться на сложный рабочий день, пополнить запас витаминов, утолить голод. Да-да, именно утолить голод, так как смузи способен побороть чувство голода на 3—3,5 часа. Смузи прекрасен в любое время дня, он может быть и завтраком — с овсяными хлопьями, фруктами и молоком, обедом — овощное пюре с пряными специями и ужином — фруктово-ягодный микс, который поднимет настроение после рабочего дня. Это своего рода альтернатива овощным и фруктовым салатам, на которые порой не хватает времени. 30 секунд в мощном блендере – и перед вами прекрасный завтрак, обед или ужин.

На популярность смузи быстро отреагировали диетологи, и теперь среди всевозможных диет нам обязательно посоветуют смузи-диету. Но и здесь есть свои нюансы: если сам напиток, то есть измельченные в миксере кусочки фруктов вместе с соком, действительно легкий и некалорийный, то его варианты с добавлением молока, мороженого, сливок и йогурта могут быть довольно калорийны.

В качестве дополнений к ягодам, фруктам и овощам можно использовать:

- Обезжиренное молоко – оно богато кальцием, но с низким содержанием жира и калорий.
- Обычное молоко – с высоким содержанием жира и калорий.

Натуральный йогурт – лучше тот, который приготовлен в домашних условиях, если такового нет, то можно заменить на молочный йогурт без вкусовых добавок и кусочков фруктов.

- Кокосовое молоко – отличная альтернатива обычному молоку, так как полностью растительного происхождения и не содержит животный жир и холестерин.

- Миндальное молоко – с низким содержанием холестерина и сахара.

- Соевое молоко – также хорошо заменяет обычное молоко.

- Тофу – чаще используется в овощных смесях. Он бывает различной степени твердости – твердый, полутвердый, мягкий. Для смузи лучше подойдет мягкий тофу.

Если вы твердо решили похудеть на смузи-диете, то вот несколько правил, которые вы должны запомнить:

- Для смузи использовать только свежие овощи и фрукты, исключением являются ягоды, они могут быть подвержены заморозке без предварительной тепловой обработки.

- Готовые смузи – это не ваш вариант, в них, как правило, очень много сахара и консервантов, ведь живые соки сохраняют полноценные витамины первые 15 минут после приготовления.

- В качестве ингредиентов смузи, приготовленных дома, лучше не использовать сахар, мороженое (даже диетическое), молоко повышенной жирности. Лучшая замена – это обезжиренный кефир или натуральный йогурт.

- Смузи – это полноценная еда, поэтому заполнять им перерывы между едой не стоит.

- Для фруктовых смузи необходимо выбирать менее калорийные фрукты – яблоки, киви, сливы, абрикосы или ягоды.

■ Откажитесь от бананов как ингредиента, так как в нем содержится растительный жир.

■ Соль в овощных смузи лучше заменить порошком морской капусты, его легко приготовить дома, размолов в кофемолке сушеную морскую капусту (ламинария), которую вы можете приобрести в аптеках.

■ Если придерживаетесь строгой диеты, то откажитесь ото льда в напитке. Вкусовые рецепторы под действием холода не успевают распознать еду, и ваш организм не воспримет смузи должным образом.

■ Не стоит думать, что будущее за «жидкой пищей». Знайте, что, помимо, без сомнения, богатых витаминами смузи, вам нужна твердая пища. В ином случае вы рискуете получить проблемы с пищеварительным трактом и зубами.

■ И помните! Смузи-диета не даст фантастического результата, если вы лишите организм физической нагрузки.

Просто ФРУКТЫ

«Вишневый восторг»

Для приготовления вам потребуются следующие ингредиенты:

1 яблоко

1 груша

50 г вишни

3—4 кубика льда

веточка свежей мяты

- Яблоко и грушу вымыть, разрезать на четвертинки и вырезать сердцевину.
- У вишни удалить косточки.
- Выжать сок из яблока, груши и вишни, поместив их в соковыжималку одновременно.
- В бокал положить лед и вылить поверх сок. Украсить веточкой мяты.

Вариант

Если микс вам показался кисловатым, добавьте 1 чайную ложку сахарной пудры.

«Летний ветерок»

Для приготовления вам потребуются следующие ингредиенты:

1 апельсин

200 г черного винограда без косточек

1 груша

3–4 кубика льда

кружочек лимона

- Апельсин вымыть, очистить от кожуры и разрезать на четвертинки.
- Грушу вымыть, разрезать на четвертинки, вырезать сердцевину.
- Выжать сок из апельсина, груши и винограда, поместив их в соковыжималку одновременно.
- В бокал положить лед и вылить поверх смесь соков. Украсить кружочком лимона.

«Красный вельвет»

Совет специалиста:

Так как у граната достаточно насыщенный вкус, его можно смягчить, добавив в напиток ледяной крошки.

Для приготовления вам потребуются следующие ингредиенты:

1 гранат

170 г малины

- Гранат разрезать пополам и вынуть семена.
    - Гранат и малину измельчить в блендере. Перелить в короткий бокал. Украсить ягодкой малины.

«Закат»

Для приготовления вам потребуются следующие ингредиенты:

1 гранат

1 апельсин

3 кубика льда

кружочек апельсина

■ Гранат разрезать пополам и вынуть семена.

■ Апельсин вымыть, очистить от кожуры и разрезать на четвертинки.

■ Лед измельчить до состояния крошки.

■ Выжать сок из граната и апельсина по отдельности.

■ В бокал всыпать ледяную крошку и залить соком граната, затем влить сок апельсина, не перемешивая. Украсить кружочком апельсина.

Манго с корицей

Для приготовления вам потребуются следующие ингредиенты:

100 мл минеральной воды

1 манго

100 мл натурального йогурта

$1/4$ ч. ложки молотой корицы

ломтик манго

1 палочка корицы

- Манго вымыть, разрезать пополам и удалить косточку.
- Воду предварительно охладить.
- Все ингредиенты уложить в блендер и перемолоть до состояния смузи.
- Готовый напиток вылить в бокал, украсить ломтиками манго и палочкой корицы.

Рубиновый напиток

Для приготовления вам потребуются следующие ингредиенты:

1 красный апельсин

1 лайм

1 маракуйя

3 кубика льда

- Апельсин вымыть, очистить от кожуры и разрезать на четвертинки.
- Лайм вымыть, очистить от кожуры и разрезать пополам.
- Маракуйю вымыть, разрезать пополам и извлечь мякоть.
- Лед измельчить до состояния крошки.
- Выжать сок из апельсина и лайма, одновременно поместив в соковыжималку.
- Мякоть маракуйи взбить в блендере и перемешать с выжатыми соками.
- В бокал всыпать ледяную крошку, поверх которой вылить микс соков.

«В розовом»

Совет специалиста: _____

Клюкву можно использовать как свежую, так и замороженную, во втором случае ее нужно разморозить, но сок не сливать.

Для приготовления вам потребуются следующие ингредиенты:

1 розовый грейпфрут	1 яблоко
70—80 г клюквы	3 кубика льда

- Грейпфрут вымыть, очистить от кожуры и нарезать четвертинками.
- Яблоко вымыть, вырезать сердцевину и нарезать четвертинками.
- Выжать сок из грейпфрута и яблока. Клюкву промыть, поместить в блендер и перемолоть до состояния смузи и перемешать с соками.
- Лед измельчить до состояния крошки и всыпать в бокал. Поверх льда влить сок.

«Виноградный» сюрприз

Совет специалиста: _____

Напиток можно разбавить охлажденной минеральной водой.

Для приготовления вам потребуются следующие ингредиенты:

200 г черного винограда	6 листиков мяты
200 г белого винограда	3 кубика льда
1 яблоко	

- Виноград вымыть, дать стечь воде.
- Яблоко вымыть, вырезать сердцевину и разрезать на четвертинки.
- Выжать сок из яблока и винограда.
- Лед измельчить до состояния крошки и всыпать в бокал. Поверх льда влить сок, добавив мяту.

«Карибский сон»

Для приготовления вам потребуются следующие ингредиенты:

2 банана

1 манго

1 небольшой ананас

200 мл кокосового молока

- Бананы очистить и разрезать на четыре кусочка.
- Манго вымыть, разрезать пополам и вынуть косточку.
- Ананас вымыть, очистить и нарезать небольшими кусочками.
- Выжать сок из ананаса и манго, влить в блендер, добавить кусочки банана и кокосовое молоко, взбить до состояния смузи.

Мандариновый десерт

Для приготовления вам потребуются следующие ингредиенты:

4 мандарина

2 персика

1 гранат

- Мандарины вымыть, очистить от кожуры. Персики разрезать пополам и удалить косточку.
- Гранат вымыть, разрезать пополам и извлечь семена.
- Выжать сок из мандаринов и персиков, разлить по бокалам. В каждый бокал положить гранатовые семена.

Вариант

Можно добавить щепотку молотого кориандра, это придаст особую изюминку напитку.

«Розовая леди»

Для приготовления вам потребуются следующие ингредиенты:

1 красный грейпфрут

1 белый грейпфрут

50 г клюквы

3 кубика льда

- Грейпфруты вымыть, очистить от кожуры, разрезать на четвертинки. Выжать сок из грейпфрутов.
- Клюкву вымыть, поместить в блендер и взбить до состояния смузи, перемешать с соками.
- Лед измельчить до состояния крошки и всыпать в бокал. Поверх льда вылить сок грейпфрута с клюквой.

Дыня с ягодами

Для приготовления вам потребуются следующие ингредиенты:

1 небольшая дыня

100 г черники

100 г ежевики

- Дыню вымыть, разрезать пополам, удалить семечки и очистить, нарезать небольшими кусочками (несколько кусочков оставить для украшения). Выжать сок из дыни.
- Ягоды промыть, перебрать, поместить в блендер и взбить до состояния смузи.
- В бокал влить сок дыни, а затем смузи из ягод.
- На коктейльные шпажки нанизать кусочки дыни и украсить бокалы.

Лимонный сквош

Для приготовления вам потребуются следующие ингредиенты:

1 лимон

50 г сахарной пудры

100 мл минеральной воды

- Лимон вымыть, очистить от кожуры, разрезать на четвертинки. Выжать сок из лимона.
- В блендере перемешать лимонный сок, минеральную воду и сахарную пудру до однородного состояния.

«Летнее утро»

Для приготовления вам потребуются следующие ингредиенты:

1 груша

сок 1 груши

3 абрикоса

1 нектарин

- Грушу вымыть, удалить сердцевину и нарезать небольшими кусочками.
- Абрикосы вымыть, разрезать пополам и удалить косточку.
- Лед измельчить до состояния крошки.
  - В блендер сложить кусочки груши, половинки абрикосов, ледяную крошку, грушевый сок. Все взбить до состояния смузи.

Банан с медом

Для приготовления вам потребуются следующие ингредиенты:

2 банана

2 ст. ложки меда

500 мл молока

3—4 кубика льда

- Банан вымыть, очистить, разрезать на четыре кусочка.
- В блендер уложить кусочки банана, мед, влить молоко, все взбить до состояния смузи.
- Лед измельчить в крошку и всыпать в бокал. На лед вылить бананово-молочную смесь.

«Красный шелк»

Для приготовления вам потребуются следующие ингредиенты:

70—80 г клубники

70 г малины

70 г черники

150 мл яблочного сока

3—4 кубика льда

- Ягоды промыть, перебрать, при необходимости очистить.
- В блендер сложить все ягоды (оставить несколько ягод малины или клубники для украшения), залить яблочным соком и взбить до состояния смузи.
- Лед измельчить до состояния крошки и высыпать в бокал.
- На лед вылить ягодную смесь.
- Бокалы украсить ягодами малины или клубники.

«Арбузное чудо»

Для приготовления вам потребуются следующие ингредиенты:

450 г арбуза

1 лайм

2 веточки свежего розмарина

2–3 кубика льда

- Из арбуза удалить косточки, мякоть нарезать небольшими кусочками.
- Лайм вымыть, очистить от кожуры и разрезать пополам.
- В блендер уложить кусочки арбуза, лайм и веточки розмарина, все взбить до состояния смузи.
- Арбузную смесь вылить в бокал, добавить кубики льда.

Ягодно-банановый

Для приготовления вам потребуются следующие ингредиенты:

150 г черники

150 г ежевики

1 банан

200 мл яблочного сока

3–4 кубика льда

- Ягоды перебрать, промыть.
  - Банан вымыть, очистить, разрезать на 4 кусочка.
  - Ягоды, кусочки банана и яблочный сок поместить в блендер и взбить до состояния смузи.
  - В бокал положить лед, на него вылить бананово-ягодную смесь.

«Магия дыни»

Для приготовления вам потребуются следующие ингредиенты:

350 г дыни

2 киви

4 личи

- Дыню очистить от кожицы, удалить семена, мякоть нарезать небольшими кусочками.
- Киви вымыть, очистить от кожицы, нарезать четвертинками.
- Личи вымыть, очистить, разрезать пополам, удалить косточку.
- В блендер поместить все ингредиенты и взбить до состояния смузи.
- Вылить смесь в бокалы, украсить ломтиками киви.

«Клюквенное желание»

Для приготовления вам потребуются следующие ингредиенты:

150 мл апельсинового сока

100 мл натурального йогурта

100 г клюквы

100 г малины

3—4 кубика льда

5—6 листиков мяты

- В блендер влить йогурт, апельсиновый сок, добавить ягоды и взбить до состояния смузи.
- Влить смесь в бокал поверх льда. Украсить листиками мяты.

Вариант

Можно использовать замороженные ягоды, но тогда нужно отказаться от льда.

«Чернично-клюквенный секрет»

**Для приготовления вам потребуются
следующие ингредиенты:**

160 г черники

100 г клюквы

50 мл апельсинового сока

- Чернику и клюкву промыть, перебрать, положить в блендер
  и взбить до состояния смузи.
- В бокал влить апельсиновый сок, а затем чернику с клюквой.
  Не перемешивать.

«Кокосовые сны»

**Для приготовления вам потребуются
следующие ингредиенты:**

100 г клубники

1 банан

2 ст. ложки кокосового молока

4 кубика льда

- Клубнику перебрать, очистить.
- Банан очистить, разрезать на 4 кусочка.
- В блендер уложить кусочки бананов, клубнику, кубики льда,
  добавить кокосовое молоко и все взбить до состояния смузи.

«Ананасовое удовольствие»

Для приготовления вам потребуются следующие ингредиенты:

1 небольшой ананас

1 груша

10 листиков мяты

4 кубика льда

- Грушу вымыть, очистить от кожицы, нарезать четвертинками.
- Ананас вымыть, очистить, мякоть нарезать небольшими кусочками.
- В блендер положить кубики льда и измельчить до состояния крошки, затем добавить ко льду остальные ингредиенты: кусочки ананаса, ломтики груши, 6–8 листиков мяты. Все вместе взбить до состояния смузи.
- Перелить смесь в бокалы, украсить оставшимися листиками мяты.

Ягодный

Для приготовления вам потребуются следующие ингредиенты:

150 г клюквы

150 г черники

100 мл персикового сока

4 кубика льда

- Лед измельчить в блендере до состояния крошки.
- Ягоды перебрать, промыть и добавить в блендер со льдом (оставить несколько ягод для украшения). Все взбить до состояния смузи.
- Смесь перелить в бокал и украсить ягодами.

Освежающий яблочный

Для приготовления вам потребуются следующие ингредиенты:

1 яблоко

2 киви

200 мл зеленого чая

- Яблоко вымыть, разрезать на четвертинки, удалить сердцевину.
- Киви вымыть, очистить от кожуры и нарезать небольшими кусочками.
- Из яблока выжать сок.
- Киви поместить в блендер и взбить до однородного состояния.
- Яблочный сок перемешать с зеленым чаем и киви.

«Клубничный поцелуй»

Для приготовления вам потребуются следующие ингредиенты:

180 г клубники

100 г клубничного йогурта

100 мл низкокалорийного молока

сок $1/2$ лайма

2 киви

3–4 кубика льда

- Киви вымыть, очистить от кожицы, нарезать четвертинками.
- Клубнику перебрать, промыть.
- В блендер уложить клубнику (оставить несколько ягод для украшения), кусочки киви, добавить йогурт, молоко и лаймовый сок. Все взбить до состояния смузи.
  - В бокал положить лед, поверх льда вылить клубничную смесь.

ФРУКТЫ и ОВОЩИ

«Твой выбор»

Для приготовления вам потребуются следующие ингредиенты:

3 зеленых яблока

100 г листьев свежего шпината

1 красный сладкий перец

1 стебель сельдерея с листьями

1 ч. ложка тертого имбиря

- Яблоки вымыть, вырезать сердцевину и нарезать четвертинками.
- Листья шпината промыть, нарезать.
- Перец вымыть, разрезать пополам, удалить семена, нарезать небольшими кусочками.
- Сельдерей вымыть, нарезать небольшими кусочками.
- Выжать сок из всех ингредиентов, влить в бокал. Посыпать тертым имбирем и украсить листиком сельдерея.

Морковь с яблоком

Для приготовления вам потребуются следующие ингредиенты:

1 морковь

2 зеленых яблока

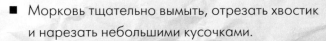

- Морковь тщательно вымыть, отрезать хвостик и нарезать небольшими кусочками.
- Яблоки вымыть, удалить сердцевину, нарезать четвертинками.
- Выжать сок из яблока и моркови. Перелить в бокал.

«Красный гигант»

Для приготовления вам потребуются следующие ингредиенты:

2 красных яблока

150 г красной капусты

2 стебля сельдерея

1 небольшая свекла

3 кубика льда

- ■ Яблоки вымыть, нарезать четвертинками, удалить сердцевину.
- ■ Капусту разделить на отдельные листья и выжать сок.
- ■ Сельдерей и свеклу вымыть, нарезать небольшими кусочками.
- ■ Выжать сок из свеклы, яблок, сельдерея и капусты. Вылить сок в бокал, добавить кубики льда.

Из овощей

Для приготовления вам потребуются следующие ингредиенты:

1 топинамбур

1 яблоко

2 средние моркови

200 г свежей брокколи

5 листиков мяты

- ■ Топинамбур вымыть, очистить, нарезать кусочками.
- ■ Яблоко вымыть, разрезать на четвертинки и удалить сердцевину.
- ■ Морковь тщательно вымыть, нарезать небольшими кусочками.
- ■ Выжать сок из всех ингредиентов, кроме мяты. Вылить сок в бокал и украсить листиками мяты.

Морковь и манго

Для приготовления вам потребуются следующие ингредиенты:

100 мл свежевыжатого апельсинового сока

1 манго

1 средняя морковь

3 кубика льда

- Манго вымыть, разрезать пополам, удалить косточку, извлечь мякоть (отрезать небольшой ломтик для украшения).
- Морковь тщательно вымыть, нарезать кусочками.
- Из моркови выжать сок.
- В блендер положить мякоть манго, добавить апельсиновый и морковный сок и все взбить до состояния смузи.
- Влить в наполненный льдом бокал.

«Хеллоуин»

Для приготовления вам потребуются следующие ингредиенты:

400 г мякоти тыквы

2 крупных апельсина

несколько тыквенных семечек

- С тыквы срезать корку, удалить семена. Мякоть нарезать небольшими кусочками.
- Апельсин вымыть, срезать кожуру, мякоть нарезать небольшими кусочками.
  - Выжать сок из мякоти тыквы и апельсина, влить сок в стакан. Сверху посыпать очищенными тыквенными семечками.

Горячий свекольный

Для приготовления вам потребуются следующие ингредиенты:

2 средние свеклы

1 стебель сельдерея с листьями

2 зубчика чеснока

2 средние свеклы

1 морковь

- Свеклу вымыть, очистить, нарезать небольшими кусочками.
- Сельдерей вымыть, срезать со стебля загрубевшие места, нарезать стебель небольшими кусочками.
- Морковь вымыть, нарезать кусочками. Зубчики чеснока очистить.
- Выжать сок из всех ингредиентов, перелить в бокал и украсить листьями сельдерея.

«Терракотовый»

Для приготовления вам потребуются следующие ингредиенты:

1 топинамбур

1 апельсин

1 банан

- Топинамбур вымыть, очистить, нарезать небольшими кусочками.
- Апельсин вымыть, срезать кожуру. Нарезать небольшими кусочками.
- Банан вымыть, очистить, разрезать на 4 части.
- Выжать сок из топинамбура и апельсина.
- Банан поместить в блендер и взбить до состояния смузи. Смешать сок с банановым пюре.

Сливочно-свекольный

Совет специалиста: _____

Если вкус в этом случае вам покажется скудным, можно до зи 1 столовую ложку цветочного меда.

Для приготовления вам потребуются следующие ингредиенты:

2 средние свеклы

100 мл натурального йогурта

- Свеклу вымыть, очистить, нарезать небольшими кусочками. Выж из свеклы сок.
- В блендере смешать свекольный сок с йогуртом до однородной массы.

Сливочно-морковный

Для приготовления вам потребуются следующие ингредиенты:

2 моркови

1 банан

2 ст. ложки овсяных хлопьев

100 мл молока

- Морковь вымыть. Банан вымыть, очистить. Из моркови выжать сок.
- В блендер поместить банан, разрезанный на 4 части, овсяные хлопья, все взбить до состояния смузи.
- В блендер добавить молоко и морковный сок, все еще раз взбить.

Информация: _____

Все знают, что морковь содержит много каротина, но не всем известно, что лучше каротин усваивается совместно с молочными продуктами.

Овощной взрыв

Совет специалиста: _____

К этому напитку вы можете добавить любые зелень и пряности, которые вам нравятся, и чем больше их будет, тем лучше.

Для приготовления вам потребуются следующие ингредиенты:

1 огурец

100 г брокколи

200 г сельдерея

100 г шпината

несколько веточек базилика

несколько веточек петрушки

- Огурец вымыть, нарезать небольшими кусочками.
- Брокколи вымыть, разделить на небольшие части.
- Стебель сельдерея вымыть, срезать загрубевшие места, нарезать небольшими кусочками.
- Зелень вымыть и дать воде стечь.
- Выжать сок из сельдерея.
- В блендер поместить кусочки огурца, брокколи, листья шпината и зелень базилика и петрушки, добавить сок сельдерея, все взбить до состояния смузи.

Томатный с базиликом

Для приготовления вам потребуются следующие ингредиенты:

2 крупных спелых помидора

7–8 листиков базилика

1 болгарский красный перец

4 кубика льда

черный молотый перец на кончике ножа

- Помидоры вымыть, обдать кипятком и снять кожицу.
- Листья базилика вымыть, дать воде стечь.
- Перец вымыть, разрезать пополам, удалить семена, нарезать небольшими кусочками.
- Помидоры, кусочки перца и листья базилика (оставить 2 для украшения) поместить в блендер, добавить черный молотый перец и взбить до состояния смузи.
- Бокал наполнить льдом и добавить сок, украсить листиками базилика.

«Фламенко»

Для приготовления вам потребуются следующие ингредиенты:

220 мл минеральной воды

2 сладких красных перца

100 г натурального йогурта

50 г вяленых томатов

3–4 листика базилика

3 кубика льда

соль и перец на кончике ножа

- Перец вымыть, разрезать пополам, удалить семена, очистить мякоть от кожицы. Нарезать небольшими кусочками.
- Томаты нарезать, уложить в блендер, добавить мякоть перца, йогурт и минеральную воду. Все взбить до состояния смузи, посолить и поперчить.
- Бокал наполнить льдом, вылить поверх смузи, украсить листиками базилика.

Морковный с авокадо

Совет специалиста:

Этот оригинальный зеленый смузи очень питателен и полезен. Хорошо пить его во время завтрака — он отлично заряжает энергией!

Для приготовления вам потребуются следующие ингредиенты:

2 средние моркови

$1/2$ авокадо

120 мл натурального йогурта

4 кубика льда

- Морковь тщательно вымыть, нарезать небольшими кусочками.
- Из авокадо извлечь мякоть.
- Из моркови выжать сок, влить его в блендер, добавить мякоть авокадо и йогурт. Все взбить до состояния смузи.
- Бокал наполнить льдом и влить смузи.

«Импровизация»

**Для приготовления вам потребуются
следующие ингредиенты:**

1 небольшая вареная свекла

100 мл натурального йогурта

4–5 перышек зеленого лука

100 мл свежевыжатого яблочного сока

- Свеклу очистить, нарезать небольшими кусочками.
- Лук вымыть, мелко нарезать (оставить одно перышко
  для украшения).
- В блендер уложить кусочки свеклы, лук, добавить йогурт, яблочный
  сок. Все взбить до состояния смузи.
- Вылить в бокал, украсить перышком лука.

Имбирно-дынный

**Для приготовления вам потребуются
следующие ингредиенты:**

1 небольшая дыня

2 стебля сельдерея с листьями

1 ч. ложка тертого имбиря

- Дыню вымыть, разрезать, удалить семечки и извлечь мякоть.
- Сельдерей вымыть, срезать загрубевшие места и нарезать
  небольшими кусочками.
- Выжать сок из дыни и сельдерея, смешать с имбирем.
- Влить в бокал, украсить листьями сельдерея.

«Бешеный киви»

Для приготовления вам потребуются следующие ингредиенты:

2 киви

100 г листьев любого салата

100 мл свежевыжатого яблочного сока

черный молотый перец на кончике ножа

- Киви вымыть, очистить, нарезать небольшими кусочками.
- Листья салата вымыть, выложить на салфетку или полотенце, чтобы стекла вода. Выжать сок.
- В блендер поместить кусочки киви, добавить яблочный и салатный сок и перец, все взбить до состояния смузи.

Йогуртовый смузи с огурцом

Для приготовления вам потребуются следующие ингредиенты:

100 мл йогурта

1 огурец

3–4 веточки петрушки

несколько листиков мяты

1 ч. ложка оливкового масла

несколько капель сока лимона

- Огурец вымыть, очистить от кожицы, нарезать небольшими кусочками.
- Мяту и петрушку вымыть.
- Огурец, петрушку и мяту поместить в блендер, добавить сок лимона, оливковое масло. Все взбить до однородной консистенции.

Авокадо-айс

Для приготовления вам потребуются следующие ингредиенты:

100 г салата латук

1 лайм

1 небольшой огурец

$^1/_2$ авокадо

1 ч. ложка васаби

3–4 кубика льда

- Листья салата вымыть, дать воде стечь, нарубить.
- Лайм вымыть, очистить от кожуры, разрезать пополам.
- Авокадо вымыть, разрезать пополам, удалить косточку, извлечь мякоть.
- Огурец вымыть, нарезать небольшими кусочками.
- Выжать сок из лайма, салата, огурца.
- В блендере смешать сок с мякотью авокадо и васаби. Перелить в бокал, наполненный льдом.

«Восстанови силы»

Совет специалиста:

Тем, кто сидит на диете, нужно быть осторожными — сок редиса повышает аппетит, поэтому такой напиток лучше приготовить в завершении завтрака.

Для приготовления вам потребуются следующие ингредиенты:

6 редисок

1 лимон

3 моркови

- Редиску вымыть, очистить.
- Лимон вымыть, очистить от кожуры, разрезать пополам.
- Морковь тщательно вымыть.
- Выжать сок из всех ингредиентов.

«Красный туман»

Для приготовления вам потребуются следующие ингредиенты:

150 г красной капусты

1 груша

2 моркови

- У капусты удалить верхние листья, вырезать кочерыжку, если необходимо. Нарезать капустные листья кусочками, подходящими для соковыжималки.
- Грушу вымыть, нарезать четвертинками, удалить сердцевину.
- Морковь тщательно вымыть, нарезать небольшими кусочками.
- Выжать сок из всех ингредиентов.

«Тревога»

Совет специалиста:

Соки довольно быстро отделяются друг от друга, поэтому обязательно положите в каждый бокал по веточке сельдерея для помешивания.

Для приготовления вам потребуются следующие ингредиенты:

5–6 небольших спелых помидоров

1–2 моркови

- Помидоры вымыть, обдать кипятком, снять кожицу.
- Морковь тщательно вымыть, нарезать небольшими кусочками.
- Сельдерей вымыть, удалить затвердевшие места и нарезать кусочками все, кроме листьев.
- Выжать сок из всех ингредиентов и перелить в бокал.

ЭНЕРГЕТИКИ

«Яркий и веселый»

Для приготовления вам потребуются следующие ингредиенты:

50 г листьев любого салата

100 г капустных листьев

1 яблоко

1 оранжевый перец

1 ст. ложка мелко рубленной петрушки

- Листья салата и капусты вымыть, дать воде стечь, нарезать.
- Яблоко вымыть, нарезать четвертинками, вырезать сердцевину.
- Перец вымыть, разрезать пополам, удалить семена, нарезать небольшими кусочками.
- Выжать сок из салата, капусты, яблока и перца.
- Перелить в бокал, посыпать рубленой петрушкой.

«Горячий заряд»

Совет специалиста:

Любые соки нужно выпивать не позднее чем через 15 минут после приготовления, иначе происходит потеря витаминов.

Для приготовления вам потребуются следующие ингредиенты:

1 желтый перец

1 красный перец

100 г свежего шпината

1/2 стручка острого перца

- Перцы вымыть, разрезать пополам, удалить семена, нарезать кусочками.
- Шпинат промыть, выложить на салфетку или полотенце, чтобы стекла вода.
- Выжать сок из красного и жгучего перца одновременно, затем — из шпината и зеленого перца.
- Соки смешать.

«Весенний»

**Для приготовления вам потребуются
следующие ингредиенты:**

2 средние моркови

1 огурец

1 небольшая свекла

2 стебля сельдерея с листьями

3 кубика льда

2 веточки укропа для украшения

- Морковь тщательно вымыть, нарезать кусочками.
- Огурец вымыть, разрезать на 3 части.
- Свеклу вымыть, нарезать кусочками.
- Сельдерей вымыть, удалить загрубевшие места на стебле и нарезать кусочками.
- Лед измельчить в блендере до состояния крошки.
- Выжать сок из всех ингредиентов, кроме укропа.
- Бокал наполнить ледяной крошкой и налить сок. Украсить веточками укропа.

«Утром»

**Для приготовления вам потребуются
следующие ингредиенты:**

2 груши

2 яблока

6 шт. чернослива без косточек

- Яблоки и груши вымыть, разрезать на четвертинки и вырезать сердцевину.
- Выжать сок из яблок и груш.
- Чернослив замочить в теплой воде на 10 минут, после чего поместить его в блендер, добавить сок и все вместе взбить до состояния смузи.

Свекольно-морковный

Совет специалиста:

Из моркови можно нарезать длинные брусочки для размешивания сока.

**Для приготовления вам потребуются
следующие ингредиенты:**

1 небольшая свекла

2 средние моркови

4 редиски

- Свеклу и морковь тщательно вымыть, нарезать кусочками.
- Редиску вымыть, каждую разрезать пополам.
- Выжать сок из всех ингредиентов и разлить по бокалам.

Оранжевый

Для приготовления вам потребуются следующие ингредиенты:

1 красный перец

1 свекла

1 апельсин

- Перец вымыть, разрезать пополам, удалить семена, нарезать кусочками.
- Морковь тщательно вымыть, нарезать кусочками.
- Апельсин вымыть, срезать кожуру, разрезать пополам.
- Выжать сок из всех ингредиентов.

Персик с черносливом

Для приготовления вам потребуются следующие ингредиенты:

4 шт. чернослива без косточки

1 персик

2 стебля сельдерея с листьями

2 средние моркови

- Чернослив замочить в теплой воде на 10—15 минут. Затем выложить в блендер и взбить в пюре, при необходимости можно добавить немного воды, в которой он был замочен.
- Персик вымыть, удалить косточку.
- Сельдерей вымыть, удалить загрубевшие места со стебля и нарезать небольшими кусочками.
    - Морковь вымыть, нарезать кусочками.
    - Выжать сок из всех ингредиентов.

Шпинат с сельдереем

Для приготовления вам потребуются следующие ингредиенты:

200 г шпината

2 зеленых яблока

2 стебля сельдерея с листьями

- Шпинат вымыть и выложить на салфетку или полотенце, чтобы стекла вода.
- Сельдерей вымыть, срезать загрубевшие места со стебля, стебель нарезать кусочками.
- Яблоки вымыть, нарезать четвертинками, удалить сердцевину.
- Выжать сок из яблок и сельдерея.
- Шпинат поместить в блендер, добавить сок и все взбить до состояния смузи.

«Флеш-рояль»

Для приготовления вам потребуются следующие ингредиенты:

1 небольшая свекла

1 морковь

1 красное яблоко

1 ч. ложка натертого имбиря

$^1/_2$ лайма

- Свеклу и морковь вымыть, нарезать кусочками.
- Яблоко вымыть, нарезать четвертинками, удалить сердцевину.
- Выжать сок из лайма, яблока, свеклы и моркови, перелить в бокал, посыпать имбирем.

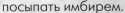

Черная смородина

**Для приготовления вам потребуются
следующие ингредиенты:**

1 яблоко

80 г черной смородины

50 г черники

50 ежевики

3—4 кубика льда

- ■ Яблоко вымыть, нарезать четвертинками и удалить сердцевину.
- ■ Ягоды промыть, дать воде стечь. Поместить в блендер и взбить
  до состояния смузи.
- ■ Из яблока выжать сок, смешать с ягодным пюре, влить
  в наполненный льдом бокал.

Сладкий красный

**Для приготовления вам потребуются
следующие ингредиенты:**

100—150 г малины

100—150 г клюквы

100 мл минеральной воды

3—4 кубика льда

- ■ Ягоды перебрать, промыть, поместить в блендер и взбить
  до состояния смузи.
- ■ Бокал наполнить льдом и слить смузи с минеральной
  водой.

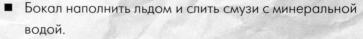

«Рубиновый»

Для приготовления вам потребуются следующие ингредиенты:

1 небольшая свекла

3 апельсина

- Свеклу тщательно вымыть, нарезать кусочками.
- Апельсин вымыть, срезать кожуру.
- Из свеклы и апельсина выжать сок.

«Золотое сияние»

Для приготовления вам потребуются следующие ингредиенты:

4 абрикоса

1 манго

2 персика

2 апельсина

- Абрикосы и персики вымыть, удалить косточки.
- Манго вымыть, разрезать пополам, удалить косточку, извлечь мякоть.
- Апельсин вымыть, срезать кожуру, мякоть нарезать кусочками.
- Выжать сок из апельсина.
- Мякоть манго, персики и абрикосы поместить в блендер, добавить сок апельсина, все взбить до состояния смузи. Перелить в бокал. Можно украсить стружкой из цедры апельсина.

Малиново-грушевый

Совет специалиста: _____

Чтобы смузи получился не очень калорийным, выбирайте молоко наименьшей жирности.

Для приготовления вам потребуются следующие ингредиенты:

250 г малины

1 груша

1 яблоко

200 мл молока

1 ст. ложка меда

- Ягоды малины перебрать, поместить в блендер и взбить.
- Яблоко и грушу вымыть, счистить кожицу, разрезать четвертинками.
- К малине добавить молоко, кусочки яблока и груши, мед. Все еще раз взбить.

Бананово-малиновый

Совет специалиста: _____

Если банан перезревший, то перед приготовлением поместите его на 2—3 минуты в морозилку.

Для приготовления вам потребуются следующие ингредиенты:

1 банан   150 г малины   100 мл молока

- Банан очистить, нарезать небольшими кусочками.
- Малину перебрать, поместить в блендер, добавить кусочки банана и молоко.
- Все взбить до однородной густой консистенции.

Вариант _____

Если не придерживаетесь строгой диеты, то в смузи можно добавить взбитые сливки.

Зеленый фреш с огурцом и яблоком

Для приготовления вам потребуются следующие ингредиенты:

1 огурец

1 зеленое яблоко

2 стебля сельдерея

1 лайм

2–3 веточки укропа

соль на кончике ножа

- Огурец вымыть, тонко срезать кожицу, нарезать кусочками.
- Яблоко вымыть, очистить, разрезать пополам, удалить сердцевину и нарезать небольшими кусочками.
- Сельдерей вымыть, срезать со стебля загрубевшие места, стебель нарезать на кусочки. Лайм вымыть, выжать сок.
- В блендер поместить кусочки огурца, сельдерея, яблока, добавить укроп, соль и сок лайма. Все взбить до однородной массы.

Ягодно-протеиновый микс

Совет специалиста:

При использовании яиц в сыром виде не стоит полагаться на магазинное качество, лучше если это будут домашние деревенские яйца.

Для приготовления вам потребуются следующие ингредиенты:

200 г черники

250 мл клюквенного сока

2 яйца

- Чернику перебрать, промыть.
- Взбить в блендере яйца с черникой, затем медленно влить в смесь клюквенный сок до получения густой консистенции.

Свекольно-гранатовый

Совет специалиста: _____

Если вам нравятся более пряные ноты в напитках, добавьте немного молотой корицы или мускатного ореха.

Для приготовления вам потребуются следующие ингредиенты:

1 небольшая свекла

1 гранат

1 ст. ложка меда

■ Свеклу тщательно вымыть, очистить, нарезать небольшими кусочками и выжать сок.

■ Гранат вымыть, разрезать пополам, извлечь зерна, поместить в блендер. Добавить свекольный сок и мед.

■ Все взбить до однородной консистенции.

На завтрак

Для приготовления вам потребуются следующие ингредиенты:

100 г овсяных хлопьев

200 мл натурального йогурта

100 г черники (можно замороженной)

2 ст. ложки меда

200 мл молока

- Овсяные хлопья перемешать с йогуртом и оставить в холодильнике на 1 час для размягчения.
- Выложить смесь в чашу блендера, добавить чернику и мед. Измельчить все до пюреобразного состояния. Затем добавить жидкость и снова смешать в блендере до однородности.

Вариант

Молоко можно смело заменить на любой фруктовый сок, а мед — на сахарный сироп.

«Энергия утра»

Для приготовления вам потребуются следующие ингредиенты:

150 г шпината

2 стебля сельдерея

150 мл минеральной воды

- Шпинат промыть, выложить на салфетку или полотенце, чтобы стекла вода.
- Стебли сельдерея вымыть, срезать загрубевшие места и нарезать небольшими кусочками.
- Шпинат и сельдерей уложить в блендер и взбить до однородной консистенции, затем добавить минеральную воду и еще раз взбить.

Ананасово-морковный смузи с яблоком

Для приготовления вам потребуются следующие ингредиенты:

1 небольшой ананас

1 морковь

1 зеленое яблоко

- Ананас вымыть, очистить, мякоть нарезать небольшими кусочками.
- Морковь вымыть, нарезать небольшими кусочками.
- Яблоко вымыть, нарезать четвертинками, удалить сердцевину и нарезать небольшими кусочками.
- Из ананаса и моркови выжать сок.
- Кусочки яблока поместить в блендер и взбить до состояния пюре, добавить сок моркови и ананаса, еще раз все взбить.

«Золотой Рог»

Для приготовления вам потребуются следующие ингредиенты:

450 г ревеня

1 апельсин

2 моркови

$1/2$ ч. ложки натертого имбиря

100 мл минеральной воды

- Ревень вымыть, нарезать небольшими кусочками.
- Апельсин вымыть, счистить кожуру, мякоть нарезать кусочками.
- Морковь вымыть, нарезать небольшими кусочками.
- Выжать сок из ревеня и моркови.
- В блендер выложить мякоть апельсина и взбить, добавить имбирь, сок ревеня и моркови и еще раз все взбить.

«Коралл»

Для приготовления вам потребуются следующие ингредиенты:

2 красных яблока

100 г клюквы

100 г клубники

$^1/_2$ ч. ложки лимонного сока

- Яблоки вымыть, нарезать четвертинками, вырезать сердцевину.
- Выжать сок из яблока.
- Клюкву и клубнику перебрать, вымыть, поместить в блендер и взбить, добавить яблочный и лимонный сок и еще раз взбить.

Овощной смузи из сельдерея, моркови и помидоров

Для приготовления вам потребуются следующие ингредиенты:

1 стебель сельдерея

1 морковь

1 помидор

$1/2$ ч. ложки оливкового масла

- Сельдерей вымыть, срезать со стебля загрубевшие места и нарезать небольшими кусочками.
- Морковь тщательно вымыть, нарезать кусочками.
- Выжать сок из моркови и сельдерея.
- Помидор вымыть, поместить в блендер и взбить, добавить оливковое масло, сок моркови и сельдерея, все еще раз взбить.

Вариант

Можно добавить горсть размоченных овсяных хлопьев.

Грушевый со шпинатом

Для приготовления вам потребуются следующие ингредиенты:

2 груши

100 г листьев шпината

100 мл минеральной воды

- Груши вымыть, нарезать четвертинками, удалить сердцевину.
- Листья шпината вымыть, выложить на салфетку или полотенце, чтобы стекла вода.
- В блендер поместить листья шпината, кусочки груши, добавить минеральную воду, все взбить до однородной консистенции.

Тыквенно-ананасовый

Для приготовления вам потребуются следующие ингредиенты:

400 г тыквы

1 небольшой ананас

1 ст. ложка меда

- Тыкву очистить от семян, извлечь мякоть и нарезать небольшими кубиками.
- Ананас вымыть, очистить, мякоть нарезать кусочками.
- Из ананаса выжать сок.
- Кусочки тыквы поместить в блендер, добавить мед и взбить, затем добавить сок ананаса и еще раз все взбить до однородной консистенции.

Апельсин и брокколи

Для приготовления вам потребуются следующие ингредиенты:

100 мл свежевыжатого яблочного сока

100 г брокколи

1 апельсин

- Блокколи вымыть, нарезать небольшими кусочками.
- Апельсин вымыть, срезать кожуру, мякоть нарезать кусочками.
- Поместить в блендер брокколи и кусочки апельсина, добавить яблочный сок и все взбить до однородной консистенции.

Бананово-клубничный с ростками пшеницы

Совет специалиста:

Если вам кажется слишком густо, можно добавить 100 мл обезжиренного молока.

Для приготовления вам потребуются следующие ингредиенты:

1 банан

100 г клубники

1 ст. ложка ростков пшеницы

- Банан вымыть, очистить, нарезать небольшими кусочками.
- Клубнику перебрать, промыть, поместить в блендер, добавить кусочки банана и ростки пшеницы, все взбить до однородного состояния.

25 cl

RELAX

«Просто расслабься»

Для приготовления вам потребуются следующие ингредиенты:

1 огурец

1 морковь

1 стебель сельдерея

$^1/_2$ ананаса

- Огурец вымыть, нарезать небольшими кусочками.
- Морковь тщательно вымыть, нарезать небольшими кусочками.
- Ананас вымыть, очистить, извлечь мякоть и нарезать кубиками.
- Выжать сок из ананаса и моркови.
- Огурец поместить в блендер и взбить, добавить сок ананаса
- и моркови, еще раз все взбить.

Черничное удовольствие

Для приготовления вам потребуются следующие ингредиенты:

100 г ванильного мороженого

200 г черники

100 мл молока

1 ст. ложка шоколадной крошки

- Чернику перебрать, вымыть.
- В блендер поместить ягоды, мороженое, добавить молока, все взбить до состояния смузи.
- Напиток разлить по бокалам и украсить поверхность шоколадной крошкой.

Грейпфрут с черникой

Для приготовления вам потребуются следующие ингредиенты:

1 грейпфрут

100 г черники

1 лимон

- Грейпфрут вымыть, очистить от кожуры.
- Лимон вымыть, очистить от кожуры.
- Чернику перебрать, вымыть.
- В блендер поместить ягоды, добавить сок лимона и грейпфрута, все взбить до состояния смузи.

Витамины в бокале

Для приготовления вам потребуются следующие ингредиенты:

100 г изюма

100 г кураги

200 мл молока

2 ст. ложки меда

- Изюм и курагу замочить на 20 минут.
- В блендере измельчить изюм и курагу, добавить молоко и мед.
- Все взбить до состояния смузи.

Яблоко с корицей

Для приготовления вам потребуются следующие ингредиенты:

2 яблока

1 лимон

1 апельсин

1 палочка корицы

1 ч. ложка порошка корицы

1 ст. ложка меда

- Яблоко вымыть, нарезать четвертинками, удалить сердцевину.
- Апельсин вымыть, очистить от кожуры, мякоть нарезать.
- Лимон вымыть.
- Выжать сок из яблока и лимона.
- Поместить в блендер кусочки апельсина, добавить мед и порошок корицы, все взбить, добавить сок лимона и яблока и еще раз взбить до получения однородной консистенции.

«Прекрасное настроение»

Для приготовления вам потребуются следующие ингредиенты:

1 апельсин

1 банан

100 г ванильного мороженого

- Банан вымыть, очистить, нарезать кусочками.
- Апельсин вымыть, очистить от кожуры, мякоть нарезать.
- В блендер поместить кусочки банана и апельсина, добавить мороженое и все взбить до однородной консистенции.

«Скажи стрессу НЕТ!»

Для приготовления вам потребуются следующие ингредиенты:

100 г клубники

100 г ежевики

100 черники

100 г ванильного мороженого

- Все ягоды перебрать, вымыть, поместить в блендер, добавить мороженое и взбить до однородной консистенции.

Киви и виноград

Для приготовления вам потребуются следующие ингредиенты:

2 киви

100 г черного винограда

3–4 кубика льда

■ Киви вымыть, очистить, нарезать небольшими кусочками.

■ Виноград вымыть, дать воде стечь, поместить в блендер вместе с кусочками киви и взбить до однородной консистенции.

■ Бокал наполнить льдом и влить смузи.

«Розовая пантера»

Для приготовления вам потребуются следующие ингредиенты:

500 г дыни

150 г клубники

100 г клюквы

■ Дыню освободить от семян, мякоть нарезать небольшими кусочками.

■ Ягоды перебрать и промыть.

■ Все ингредиенты поместить в блендер и взбить до однородной консистенции.

«Остынь!»

Для приготовления вам потребуются следующие ингредиенты:

2 красных яблока

3 сливы

100 г черники

- Яблоки вымыть, нарезать четвертинками, удалить сердцевину.
- Сливы вымыть, разрезать пополам, удалить косточки.
- Выжать сок из слив и яблок.
- Чернику перебрать, промыть. Поместить в блендер, взбить, добавить сок яблок и слив и еще раз взбить.

«Совершенство»

Для приготовления вам потребуются следующие ингредиенты:

1 небольшой ананас

1 манго

несколько листочков мяты

- Ананас вымыть, очистить, мякоть нарезать.
- Манго вымыть, разрезать пополам, удалить косточку, извлечь мякоть.
- Выжать сок из ананаса.
- Мякоть манго поместить в блендер, добавить листья мяты и сок ананаса, все взбить до однородной консистенции.

«Цитрус»

Для приготовления вам потребуются следующие ингредиенты:

- 1 грейпфрут
- 1 апельсин
- 1 лимон
- 3—4 кубика льда

- ■ Выжать сок из всех фруктов.
- ■ Бокал наполнить льдом и налить сок.

«Оранжевый цветок»

Для приготовления вам потребуются следующие ингредиенты:

- 2 абрикоса
- 2 персика
- 1 апельсин

- ■ Абрикосы и персики вымыть, разрезать пополам, удалить косточку.
- ■ Апельсин вымыть, разрезать пополам.
- ■ Выжать сок из персиков, абрикосов и апельсина.

«Малибу»

Для приготовления вам потребуются следующие ингредиенты:

1 небольшой ананас

1 яблоко

2 ст. ложки кокосового молока

3—4 кубика льда

- Яблоко вымыть, разрезать четвертинками, удалить сердцевину.
- Ананас вымыть, очистить, мякоть нарезать кусочками.
- Выжать сок из яблока и ананаса, смешать с кокосовым молоком.
- Бокал наполнить кубиками льда и налить сок.

Вариант

Можно добавить взбитые сливки или сахарную пудру.

«Карнавал»

Для приготовления вам потребуются следующие ингредиенты:

150 г белого винограда

1 папайя

1 лимон

3—4 кубика льда

- Виноград вымыть, дать воде стечь.
- Папайю вымыть, удалить семечки и очистить от кожуры.
- Лимон вымыть, разрезать пополам.
- Выжать сок из всех фруктов.
- Бокал наполнить кубиками льда и налить сок.

«Бодрость»

Для приготовления вам потребуются следующие ингредиенты:

100 г клюквы

1 лимон

1 апельсин

4 кубика льда

6 листиков мяты

- Клюкву перебрать, вымыть.
- Лимон и апельсин вымыть, очистить от кожуры, мякоть нарезать небольшими кусочками.
- Лед измельчить до состояния крошки.
- В блендер поместить ягоды клюквы, листья мяты, мякоть апельсина и лимона, все взбить до однородной консистенции.
- Бокал наполнить ледяной крошкой и добавить фруктовый микс.

Интересные факты

Клюква богата антиоксидантами, например полифенолом, его в клюкве просто огромное количество. Антиоксидантные свойства клюквы делают ее похожей по своим свойствам на вино.

«Фантазия»

Для приготовления вам потребуются следующие ингредиенты:

1 небольшой ананас

100 г клубники

1 апельсин

1 ст. ложка меда

4 кубика льда

50 мл сливок

- Ананас вымыть, очистить, мякоть нарезать кусочками.
- Апельсин вымыть, разрезать пополам.
- Клубнику перебрать, промыть.
- Выжать сок из ананаса и апельсина.
- Лед измельчить до состояния крошки.
- Поместить в блендер клубнику, добавить, мед, сливки, сок лимона и ананаса. Все взбить до однородной консистенции.
- Бокал наполнить ледяной крошкой и добавить фруктово-ягодный микс.

Интересные факты

В ананасовом соке содержится уникальное природное вещество — бромелайн, которое является превосходным естественным сжигателем жира.

«Клюквенное сияние»

Для приготовления вам потребуются следующие ингредиенты:

100 г клюквы

1 лимон

100 мл минеральной воды

3 кубика льда

- Клюкву перебрать, промыть.
- Лимон вымыть, разрезать пополам.
- Выжать сок из клюквы и лимона.
- В блендере смешать соки с минеральной водой.
- Бокал наполнить льдом и налить сок.

«Мандариновые брызги»

Для приготовления вам потребуются следующие ингредиенты:

3 мандарина

1 апельсин

100 мл минеральной воды

3 кубика льда

- Мандарины и апельсин вымыть, очистить от кожуры, выжать сок.
- Минеральную воду смешать с соком.
- Бокал наполнить льдом и налить сок.

Виноградный

Для приготовления вам потребуются следующие ингредиенты:

100 г белого винограда

100 г черного винограда

1 лимон

3 кубика льда

- Виноград вымыть, дать воде стечь.
- Лимон вымыть, очистить от кожуры.
- Выжать сок из винограда и лимона, влить в бокал поверх льда.

Банан и киви

Для приготовления вам потребуются следующие ингредиенты:

1 банан

2 киви

100 г ванильного мороженого

- Банан вымыть, очистить, нарезать кусочками.
- Киви вымыть, очистить, нарезать небольшими кусочками.
- Кусочки банана и киви поместить в блендер, добавить мороженое и все взбить до однородной консистенции.

«Банановая бомба»

Совет специалиста: _____

Если придерживаетесь диеты, то молоко лучше заменить на соевое или миндальное, в нем меньше жира.

Для приготовления вам потребуются следующие ингредиенты:

2 банана

1 яйцо

1 ст. ложка меда

50 мл молока

■ Банан вымыть, очистить, нарезать небольшими кусочками, поместить в блендер, добавить яйцо, мед и молоко, взбить до однородной консистенции.

■ Перелить в бокал.

Интересные факты _____

Ученые выяснили, что бананы способствуют выработке серотонина («гормона радости»), высокий уровень которого делает нас счастливыми, а значит, бананы, как и шоколад, помогут при плохом настроении и депрессии.

Виноград и мандарины

**Для приготовления вам потребуются
следующие ингредиенты:**

100 г черного винограда

2 мандарина

$^1/_2$ ч. ложки порошка корицы

- Виноград вымыть, дать стечь воде.
- Мандарины вымыть, очистить от кожуры.
- Выжать сок из мандаринов и винограда, смешать с порошком
  корицы.

Алфавитный указатель

Просто фрукты

	Яблоко	Лед	Груша	Вишня	Мята	Апельсин	Виноград	Лимон	Малина	Минеральная вода	Манго	йогурт	Молотая корица	Лайм
Вишневый восторг	■	■	■	■	■									
Летний ветерок		■	■			■	■	■						
Красный вельвет									■					
Закат						■								
Манго с корицей											■	■	■	
Рубиновый напиток		■				■								■
В розовом	■	■												
Виноградный сюрприз	■				■		■							
Карибский сон											■			
Мандариновый десерт														
Розовая леди		■												
Дыня с ягодами														
Лимонный сквош								■						
Летнее утро			■											
Банан с медом		■												
Красный шелк	■								■					
Арбузное чудо														
Магия дыни														
Ягодно-банановый	■													
Клюквенное желание						■						■		
Чернично-клюквенный секрет						■								
Кокосовые сны		■												
Ананасовое удовольствие		■		■										
Ягодный		■		■										
Освежающий яблочный	■	■												
Клубничный поцелуй		■												

Грейфрут	Клюква	Банан	Ананас	Кокосовое молоко	Мандарин	Персик	Черника	Сахарная пудра	Абрикосы	Дыня	Ежевика	Нектарин	Мед	Зеленый чай	Молоко	Клубника	Арбуз	Киви	Личи

Фрукты и овощи

	Яблоко	Шпинат	Болгарский перец	Сельдерей	Морковь	Красная капуста	Свекла	Мед	Топинамбур	Брокколи	Апельсин	Манго	Мята
Твой выбор	■	■	■	■									
Морковь с яблоком													
Красный гигант													
Из овощей													
Морковь с яблоком	■				■								
Красный гигант	■			■		■	■						
Из овощей	■				■		■			■			■
Морковь и манго					■			■			■	■	
Хеллоуин											■	■	
Горячий свекольный				■			■						
Терракотовый									■		■		
Сливочно-свекольный							■						
Сливочно-морковный					■								
Овощной взрыв		■								■			
Томатный с базиликом			■					■					
Фламенко								■					
Морковный с авокадо					■			■					
Импровизация	■						■	■					
Имбирно-дынный				■									
Бешеный киви	■												
Йогуртовый смузи с огурцом													■
Авокадо-айс								■					
Восстанови силы					■								
Красный туман					■	■							
Тревога					■								

Йогурт	Овсяные хлопья	Молоко	Огурец	Помидоры	Базилик	Минеральная вода	Вяленые томаты	Авокадо	Дыня	Имбирь	Листья салата	Киви	Сливочное масло	Лайм	Редис	Лимон	Груша

Энергетики

	Капуста	Яблоко	Шпинат	Морковь	Свекла	Листья салата	Болгарский перец	Сельдерей	Лед	Груша	Редис	Лайм	Огурец	Апельсин	Чернослив	Персик
Яркий и веселый	■					■	■									
Горячий заряд			■													
Весенний				■				■					■			
Утром		■								■					■	
Свекольно-морковный					■						■					
Оранжевый					■									■		
Персик с черносливом					■										■	■
Шпинат с сельдереем		■						■								
Флеш-рояль		■		■												
Черная смородина									■							
Золотое сияние															■	
Рубиновый					■											
Сладкий красный									■							
Малиново-грушевый		■								■						
Бананово-малиновый																
Зеленый фреш				■				■				■				
Ягодно-протеиновый микс																
Свекольно-гранатовый					■											
На завтрак																
Энергия утра				■				■								
Ананасово-морковный смузи		■		■												
Золотой Рог				■									■			
Коралл	■															
Овощной смузи	■				■			■								
Грушевый со шпинатом			■		■								■			
Тыквенно-ананасовый																
Апельсин и брокколи	■													■		
Бананово-клубничный																

Абрикос	Манго	Малина	Клюква	Минеральная вода	Мед	Черная смородина	Молоко	Банан	Клюквенный сок	Яйца	Гранат	Овсяные хлопья	Йогурт	Ананас	Ревень	Клубника	Помидор	Тыква	Брокколи	Ростки пшеницы

Relax	Мороженое	Черника	Молоко	Огурец	Морковь	Сельдерей	Грейпфрут	Лимон	Изюм	Курага	Мед	Ананас	Яблоко	Молотая корица	Апельсин
Просто расслабься				■	■	■						■			
Черничное удовольствие	■	■	■												
Грейпфрут с черникой		■					■	■							
Витамины в бокале			■						■	■	■				
Яблоко с корицей							■				■		■	■	■
Прекрасное настроение	■														
Скажи стрессу нет!	■	■													
Киви и виноград															
Розовая пантера															
Остынь!		■											■		
Совершенство												■			
Цитрус							■	■							
Оранжевый цветок															■
Малибу												■	■		
Карнавал															
Бодрость															■
Фантазия											■	■			■
Клюквенное сияние								■							
Мандариновые брызги															■
Виноградный								■							
Банан и киви	■														
Банановая бомба			■												
Виноград и мандарины														■	

Клюква | Дыня | Клубника | Банан | Ежевика | Лед | Сливы | Манго | Папайя | Абрикос | Персик | Кокосовое молоко | Сливки | Минеральная вода | Мандарин | Яйцо | Личи | Сметана | Лайм | Морковный сок

Издание для досуга

СМУЗИ И СОКИ – ФОРМУЛА ЗДОРОВЬЯ

Ответственный редактор *А. Братушева*
Художественный редактор *Г. Булгакова*
Технический редактор *Н. Носова*
Компьютерная верстка *В. Никитина*
Корректор *Л. Долгова*

ООО «Издательство «Эксмо»
127299, Москва, ул. Клары Цеткин, д. 18/5. Тел. 411-68-86, 956-39-21.
Home page: **www.eksmo.ru** E-mail: **info@eksmo.ru**

Өндіруші: «ЭКСМО» АҚБ Баспасы, 127299, Мәскеу, Клара Цеткин көшесі, 18/5 үй.
Тел. 8 (495) 411-68-86, 8 (495) 956-39-21.
Home page: www.eksmo.ru . E-mail: info@eksmo.ru.
Қазақстан Республикасындағы Өкілдігі: «РДЦ-Алматы» ЖШС, Алматы қаласы,
Домбровский көшесі, 3«а», Б литері, 1 кеңсе. Тел.: 8(727) 2 51 59 89,90,91,92,
факс: 8 (727) 251 58 12 ішкі 107; E-mail: RDC-Almaty@eksmo.kz
Қазақстан Республикасының аумағында өнімдер бойынша шағымды Қазақстан
Республикасындағы Өкілдігі қабылдайды: «РДЦ-Алматы» ЖШС,
Алматы қаласы, Домбровский көшесі, 3«а», Б литері, 1 кеңсе.
Өнімдердің жарамдылық мерзімі шектелмеген.

Подписано в печать 29.11.2012. Формат 70х108^1/$_{16}$.
Гарнитура «FuturaFuturis». Печать офсетная. Бумага мелованная. Усл. печ. л. 11,2.
Доп. тираж 3000 экз. Заказ 7200/12.

Отпечатано в соответствии с предоставленными материалами
в ООО "ИПК Парето-Принт", г. Тверь, www.pareto-print.ru

ISBN 978-5-699-47298-7